D1028975

Desarrollo editorial: Víctor Guzmán Zúñiga
Dirección editorial: Eva Gardenal Crivisqui
Dirección de diseño: Rigoberto Rosales Alva
Edición: Cyntia Berenice Ruiz García
Ilustración: Marcos Almada Rivero

Naranjo núm. 248, Col. Santa María la Ribera
Delegación Cuauhtémoc, C.P. 06400
México, D.F.

El libro de Óscar
(Serie Óscar, el tlacuache)

ISBN: 978-607-456-172-2

Miembro de la Cámara Nacional de la Industria Editorial Mexicana
Registro núm. 232

teléfono: 1946-0620
fax: 1946-0655

e-mail: a_literatura@editorialprogreso.com.mx
e-mail: servicioalcliente@editorialprogreso.com.mx

Impreso en México
Printed in Mexico

1ª edición: 2009
1ª reimpresión: 2013

El libro de Óscar

PROGRESO
EDITORIAL ®

El libro de Óscar

Marcos Almada Rivero

Detrás de la **barda** de **piedra,** ha estado desde **siempre,** el árbol **más** grande de por aquí.

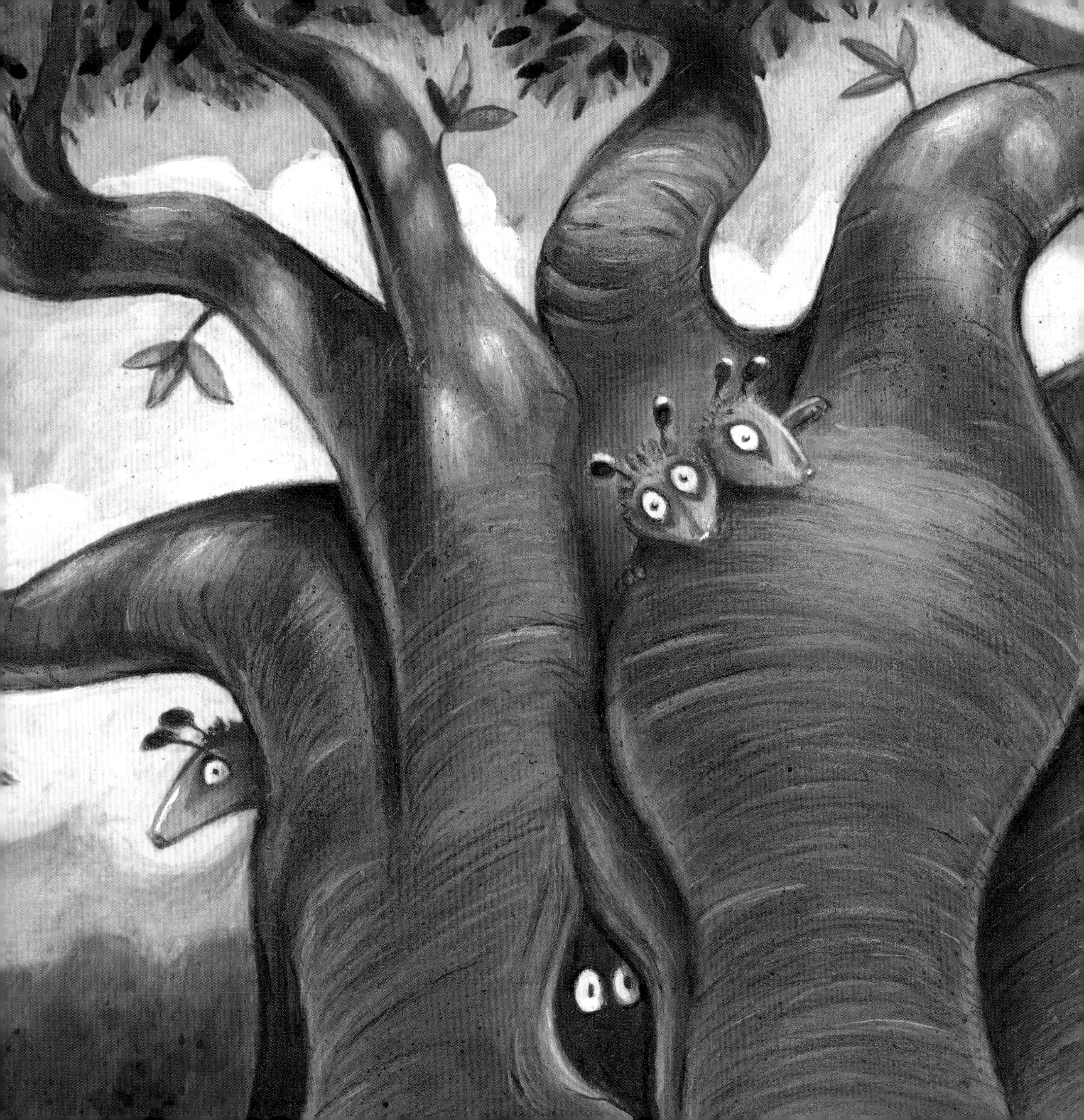

En este enorme **árbol** vive una familia de **tlacuaches.** Ellos **son** un **tanto** temerosos y por eso rara vez los **vemos durante** el día.

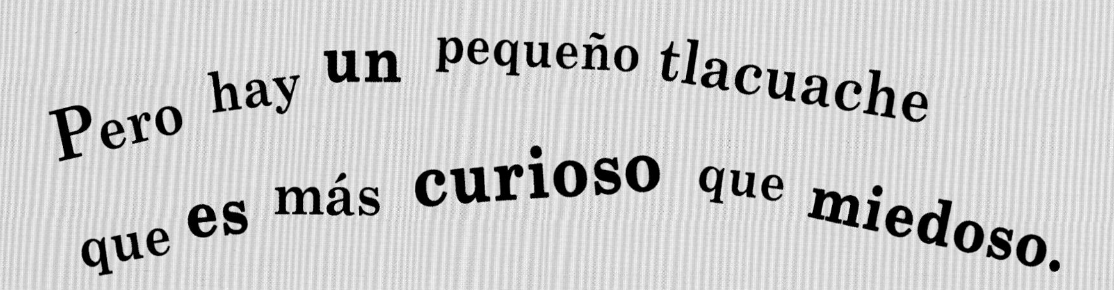

Pero hay **un** pequeño *tlacuache*
que **es** más **curioso** que **miedoso.**

Este travieso tlacuache se llama **Óscar** y **siempre** se está divirtiendo afuera de su árbol. Escondiéndose **dentro** de la **lana** de las **ovejas**.

—Es tan **suave** que **a** veces me quedo dormido ahí dentro.

Con su amigo
el **cacomixtle**
explora las ramas
más **altas.**

Los **lunes** platica con las **vacas** del **corral.**

Se divierte mucho buscando tesoros en nuestra **basura.**

Algunos objetos le han **ayudado** a **ver** el mundo de distintas formas.

Pero el **día** más **afortunado** de **Óscar** fue cuando **encontró** el mejor de **todos los** tesoros, ¡un **libro!** Hasta ese momento **Óscar** nunca había **visto** algo parecido, **lleno** de **curiosidad** lo abrió sin saber **qué** esperar.

De pronto **Óscar** se sumergió en un nuevo **mundo**.

El manatí es un amable mamífero acuático que se alimenta exclusivamente de plantas.

Le hubiera **gustado** platicar con este extraño animal como lo hace con las vacas del corral. Por desgracia, los tlacuaches no saben ***nadar***.

Óscar pensó en lo que acababa de leer.

A diferencia del manatí, los tlacuaches comen casi cualquier cosa. Pero a Óscar le vuelven loco los bichos más crujientes.

Rápidamente pasó la página.

Allí **conoció** a un animal tan **peludo**, como las ovejas. —Soy una **llama** y mi **lana** es un **cálido** abrigo.

En lo profundo de una **jungla**
vio al misterioso **casuario**,
un **ave** que **no** vuela.
—Es como un guajolote enorme
—pensó Óscar.

Después conoció **a** un walabí,
es decir, a **dos** walabies.

El walabí es un marsupial, ya que tiene una bolsa en el vientre donde carga a sus hijos. Es una mamá ejemplar.

—¡Un momento! –pensó Óscar–
Yo recuerdo haber **estado** en
la **bolsa** de mi **Mamá.**
Eso **significa** que:
¡yo también soy un marsupial!

En las siguientes páginas **conoció** animales que **imitan y** otros que **cuelgan.**

Hasta vio animales con el color del cielo en los pies.

Platicó sobre los **cuernos** de un

gigante.

Vio muchas **manchas**

y sobre todo **rayas.**

Incluso **conoció** a un **par** de **monos** parecidos a la *tía* Nacha.

Pero la mejor **sorpresa** se la llevó **al** llegar a la última **página,** donde encontró a un tlacuache colgando de **su** **cola.**

—¿**Será** posible que **yo** también aparezca en un **libro?**

–pensó Óscar.

Con su familia **compartió** el nuevo **tesoro.** Y si algún día ves a un tlacuache con cara de soñador, seguramente **es** Óscar, pensando en todas las **grandes** cosas que **se** pueden **aprender** de algo tan pequeño como un **libro.**

ANIMALES
DEL
MUNDO

Un **libro** como el que acabas de **leer.**

Marcos Almada Rivero

Marcos, autor e ilustrador de esta obra, nació en México. Hijo de un padre cineasta y una ma pedagoga, el artista desde pequeño se interesó en las artes. Publicó su primer libro en el 2008. Actualmente trabaja en diferentes proyectos pa la televisión, multimedia e ilustración. Su traba está enfocado para un público infantil.

Este **libro** ha sido **leído** por:

Óscar

La impresión de *El libro de Óscar*
de Marcos Almada Rivero, se terminó
en febrero de 2013 en los talleres
de Editorial Progreso, S.A. de C.V.